Lili B Brown

**Catalogage avant publication de Bibliothèque et
Archives nationales du Québec et Bibliothèque et Archives Canada**

Rippin, Sally

L'argent de poche (Lili B Brown; 13)

Traduction de : The pocket money blues.

Pour enfants de 6 ans et plus.

ISBN 978-2-7625-9506-2

I. Fukuoka, Aki, 1982- . II. Rouleau, Geneviève, 1960- . III. Titre.
IV. Collection : Rippin, Sally. Lili B Brown ; 13.

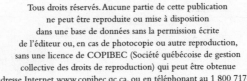

PZ23.R56Ar 2012   j823'.914   C2012-941074-8

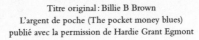

Titre original : Billie B Brown
L'argent de poche (The pocket money blues)
publié avec la permission de Hardie Grant Egmont

Texte © 2011 Sally Rippin
Illustrations © 2011 Aki Fukuoka
Logo et concept © Hardie Grant Egmont
Le droit moral des auteurs est ici reconnu et exprimé.

Version française
© Les éditions Héritage inc. 2012
Traduction de Geneviève Rouleau
Conception et design de Stephanie Spartels
Illustrations de Aki Fukuoka
Graphisme de Nancy Jacques

Imprimé au Canada

Nous reconnaissons l'aide financière du gouvernement du Canada
par l'entremise du Fonds du livre du Canada.

Nous reconnaissons l'aide financière du gouvernement du Québec
par l'entremise du Programme de crédit d'impôt – SODEC.

Dépôts légaux : 4e trimestre 2012
Bibliothèque nationale du Québec
Bibliothèque nationale du Canada

Les éditions Héritage
300, rue Arran, Saint-Lambert (Québec) Canada J4R 1K5
Téléphone : 514 875-0327 – Télécopieur : 450 672-5448
Courriel : information@editionsheritage.com

L'argent de poche

Texte : Sally Rippin
Illustrations : Aki Fukuoka
Traduction : Geneviève Rouleau

Chapitre un

Lili B Brown a trois poupées
à la longue chevelure,
un ours en peluche
et un petit poney mauve.
Sais-tu ce que signifie le « B »
dans « Lili B Brown »?

Bébés lapins.

Lili B Brown voudrait
vraiment, mais vraiment
avoir un bébé lapin jouet.
Les bébés lapins
ont une fourrure douce
et de grands yeux brillants.
Ils ont même leur propre
émission de télévision.

Un poney mauve

Un ours en peluche

Trois poupées
à la longue chevelure

Toutes les filles de la classe
ont un bébé lapin,
excepté Lili.

«S'il te plaît, s'il te plaît,
s'il te plaît, est-ce que
je peux avoir un bébé lapin?»
demande Lili, à sa mère.

«Non, Lili, répond-elle.
Je t'ai déjà dit qu'il faut que
tu attendes jusqu'à Noël.»

«Mais c'est dans cent ans !
proteste Lili. Je ne peux pas
attendre jusque-là.»

«Pourquoi ne pas épargner
des sous et en acheter
un toi-même ? propose le père
de Lili. Tu as déjà un peu
d'argent dans ta tirelire.

Tu pourrais peut-être faire
quelques petits travaux
et en gagner plus?»

«D'accord! lance Lili.
Qu'est-ce que je peux faire?»

«Bien, tu pourrais faire le tri
de tes jouets, suggère
sa maman. Tu peux mettre
au recyclage ceux qui sont
brisés et donner ceux avec
lesquels tu ne joues plus.»

Lili fronce les sourcils.

«Ce n'est pas un travail!

Pas comme ramasser

les feuilles ou tondre

le gazon.»

«Tu es trop jeune

pour tondre le gazon»,

fait remarquer le père de Lili.

«Mais tu peux balayer l'entrée.

Les balais sont dans la remise,

dans la cour arrière.»

« Super ! » dit Lili. Elle sort
en courant par la porte arrière.

Lili voit quelqu'un qui
regarde par-dessus la clôture.
Tu sais bien de qui il s'agit,
n'est-ce pas ? Tu as raison.
C'est Thomas !

Thomas, le meilleur ami
de Lili. Il habite juste à côté.

« Hé, Lili ! » lance Thomas.

« Veux-tu venir jouer
au cricket ? »

« J'ai fabriqué un bâton
avec du vieux bois.
J'ai aussi dessiné les piquets
sur la clôture, à la craie.
Viens voir ! »

Lili se met à rire. «Pas maintenant, Thomas, dit-elle, je dois balayer l'entrée.»

«Est-ce que je peux t'aider?» demande Thomas.

«Bien sûr, répond Lili. Merci!»

Lili et Thomas travaillent
fort pour enlever toutes
les feuilles de l'entrée. Thomas
tient le sac à ordures ouvert
et Lili met les feuilles dedans.

Lorsqu'ils ont fini, le papa
de Lili vient admirer
leur travail.

« Hé, c'est très bien ! »
lance le père de Lili.
Il lui donne de la monnaie.

«Merci, papa!» dit Lili.

Elle et Thomas ont fait
du beau travail, aujourd'hui.
Thomas retourne chez lui.

Lili court jusqu'à sa chambre
pour mettre les sous
dans sa tirelire.
Elle est très **contente**.
Bientôt, elle aura assez
d'argent pour acheter
son propre bébé lapin.

Chapitre
deux

Le jour suivant, après l'école,
Lili demande à son père
s'il a une autre tâche
à lui confier.

La mère de Lili l'appelle
de la cuisine.

«Que dirais-tu de faire le tri
de tes jouets, aujourd'hui?»

«Mamaaaaan!»,
gémit Lili.

«Il faudrait laver la voiture,
dit le père de Lili.
Mais c'est beaucoup de travail.
Penses-tu pouvoir le faire?»

«Bien sûr!» répond Lili.
Elle court à l'extérieur.

Lili prend un seau
d'eau savonneuse
et un autre d'eau
propre.

Thomas est assis
dans les escaliers
de son entrée. «Hé, Lili,
lui crie-t-il. Veux-tu jouer
au cricket, aujourd'hui?»

«Je ne peux pas, explique Lili.
Il faut que je lave la voiture.»

«Est-ce que je peux
t'aider?» demande Thomas.

«Bien sûr! dit Lili. Merci!»

Lili lave la voiture
avec une grosse éponge.
Thomas rince le savon à l'eau.
C'est un travail difficile,
mais Thomas et Lili
ont beaucoup de plaisir.

Plus la voiture devient
propre, plus Lili et Thomas
deviennent sales. Bientôt,
l'auto brille de propreté.
Lili et Thomas sont très
fatigués et tout crottés.
Il est temps de prendre
un bon bain. Es-tu d'accord?

«Bon travail!» s'exclame
le papa de Lili. Il lui donne
encore des sous.

Après le bain, Lili se couche
sur son lit pour compter
son argent. Elle en a gagné
beaucoup aujourd'hui,
mais elle en a besoin de plus
pour acheter son bébé lapin.
Travailler, c'est très fatigant!
Lili doit trouver autre chose.

C'est à ce moment-là
que la maman de Lili frappe
à la porte. «Que dirais-tu
d'un verre de limonade?
demande-t-elle. Tu as
travaillé dur aujourd'hui.»

Cela donne une idée à Lili.
Une super bonne idée!
Est-ce que tu devines à quoi
elle pense?

«Merci!» dit Lili à sa mère.

Elle boit sa limonade
d'un coup.
« Maintenant,
il faut que je parle
à Thomas ! »

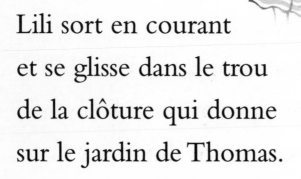

Lili sort en courant
et se glisse dans le trou
de la clôture qui donne
sur le jardin de Thomas.

Thomas est assis à la table
de la cuisine avec sa mère.

«Thomas, dit Lili. J'ai
un plan qui va nous permettre
de gagner *tout plein* d'argent.»

Lili se tourne vers la mère
de Thomas. «Nous aurons
besoin de citrons, ajoute-t-elle.
De beaucoup de citrons!
Est-ce qu'on peut en prendre
dans votre citronnier?»

«Bien sûr, répond la maman
de Thomas. Laisse-moi

deviner. Tu veux faire
de la limonade, c'est ça ?»

«C'est ça !» affirme Lili.

«Un stand de limonade,
lance Thomas, en riant.
C'est une bonne idée.
Allons faire des affiches.»

Lili sourit. «Génial!»
Elle est **heureuse**.
Bientôt, elle aura assez
d'argent pour acheter
un bébé lapin.

Chapitre trois

Le jour suivant est
un samedi. Lili se lève tôt.
Elle et Thomas cueillent
tous les citrons mûrs
qui se trouvent dans l'arbre
du jardin. La maman de
Thomas les aide à mélanger

le jus de citron avec de l'eau
et du sucre. Bientôt,
ils ont trois grosses cruches
de délicieuse limonade.
Lili et Thomas installent
une petite table sur le trottoir,
devant chez eux. La maman
de Thomas sarcle le jardin
à l'avant de la maison.

Lili et Thomas vendent
des verres de limonade
aux passants.

Madame Élie, la vieille dame
qui demeure de l'autre côté
de la rue, en a acheté quatre.
Elle devait avoir bien soif!
Elle a même dit à Lili et à
Thomas de garder la monnaie.

Déjà, à l'heure du dîner,

il n'y a plus de limonade.

Lili et Thomas courent vers

la chambre de Lili. Ils ajoutent

l'argent gagné dans le stand

de limonade aux sous

que Lili a déjà, dans sa tirelire.

« J'ai besoin

d'un autre travail, dit Lili.

Après, j'aurai assez d'argent

pour acheter un bébé lapin.

Oh, j'ai tellement hâte ! »

« Quoi ? s'étonne Thomas. Je ne veux pas de bébé lapin, moi ! Je *n'aime pas* les bébés lapins. Ils sont stupides.»

« Pas du tout ! proteste Lili. J'ai travaillé dur toute la semaine pour en acheter un.»

« Moi aussi, j'ai travaillé dur ! précise Thomas. La moitié des sous devrait être à moi.

Et je ne veux pas d'un bébé
lapin. Je veux acheter
quelque chose qui *nous*
intéresse tous les deux.»

Lili fronce les sourcils.
Thomas ne comprend pas
qu'il lui faut absolument
un bébé lapin.

Toutes les filles ont un bébé lapin, sauf elle. Les bébés lapins sont ce qu'il y a de mieux !

«Bien, je ne t'ai jamais demandé de m'aider ! réplique Lili, sur un ton bourru. N'est-ce pas ? »

Thomas en a le souffle coupé. «Tu es méchante, Lili ! lance-t-il.

Et je ne t'aiderai plus jamais
pour quoi que ce soit!»

Il sort de sa chambre
en claquant la porte.

Lili regarde sa tirelire.
C'est vrai qu'une petite
partie d'elle-même a été
méchante. Et cette partie
veut s'excuser. Mais alors,
elle devrait partager l'argent
avec Thomas et elle n'en

aurait plus assez pour acheter
son bébé lapin.

Lili ne sait pas quoi faire. C'est
à moment-là que la maman

de Lili passe la tête
dans l'embrasure de sa porte.

Elle tient Noah sur sa hanche.
« Où en es-tu avec
tes économies, ma chérie ? »

« J'y suis presque, répond
doucement Lili. J'ai seulement
besoin de faire un autre travail. »

« Tu pourrais trier tes jouets ! »
La maman de Lili se met

à rire. Puis, elle s'éloigne pour
changer la couche de Noah.

Lili soupire. Elle sort
son panier de jouets
de l'armoire. Elle empile
les jouets brisés d'un côté
et fait une autre pile avec
les jouets de bébé. Ça semble
prendre une éternité.
Lili aimerait que Thomas
soit là pour l'aider.
Tout est plus drôle avec lui.

Chapitre quatre

Ce soir-là, Lili est bordée par sa mère. « Merci d'avoir fait le tri de tes jouets, Lili, dit-elle. Que dirais-tu d'aller acheter ton nouveau jouet demain ? »

« Merci, maman », répond
Lili. Mais, d'une manière
ou d'une autre, elle n'est pas
aussi **heureuse** qu'elle
l'espérait.

Le lendemain matin,
Lili et sa mère se rendent
en voiture au centre
commercial. La maman met

Noah dans la poussette et elles s'avancent vers le centre commercial achalandé.

«As-tu apporté ton argent, Lili?» demande sa mère.

Lili acquiesce de la tête. Elles entrent dans un magasin de jouets aussi gros qu'un supermarché. À la vue de toutes ces choses, Lili sent une nouvelle fois son cœur battre d'**excitation**.

Lili et sa maman font
le tour des allées, jusqu'à
ce qu'elles trouvent les bébés
lapins. Il y en a un tacheté
et un autre rose pâle.
Certains ont des yeux
brillants. Il y en a même
un qui est habillé
en princesse.

Ils sont tellement beaux.
Lili est incapable de choisir
celui qu'elle achètera.

«Dépêche-toi, ma puce,
murmure sa mère,
Noah commence à être agité.
As-tu choisi?»

Mais plus Lili regarde
les bébés lapins, plus il lui est
difficile de se décider.

Elle ne peut s'empêcher
de penser à Thomas.
Elle se souvient qu'il a
travaillé très fort pour l'aider.
Soudain, Lili décide
de ne pas acheter de bébé
lapin. Pas si Thomas
n'en veut pas.

Puis, Lili a une idée.

Une super bonne idée.

Elle sait exactement de quelle
manière elle va
dépenser son argent
de poche. Sais-tu
à quoi elle pense?

Lili se tourne vers sa mère.

«Euh, finalement,
je crois que je vais acheter
autre chose», dit-elle.

41

«Vraiment? s'étonne sa mère.
Je pensais que tu en voulais
un absolument.»

«Non, dit Lili, en haussant
les épaules. Je peux attendre
jusqu'à Noël.»

Lili trouve enfin
ce qu'elle veut et l'achète.
Elle tient la boîte
pendant tout le trajet
du retour à la maison.

Elle est vraiment impatiente de voir le visage que fera Thomas quand elle lui montrera le jeu de cricket qu'elle leur a acheté !

Collectionne-les tous!

Le cours de ballet
Sally Rippin
1

veut jouer au soccer
Sally Rippin
2

Ma deuxième meilleure amie
Sally Rippin
3

Le festin de minuit
Sally Rippin
4

joue à la coiffeuse
Sally Rippin
5

L'assistante du professeur
Sally Rippin
6

Le cadeau parfait
Sally Rippin
7

Le message secret
Sally Rippin
8

La grande sœur
Sally Rippin
9

Tout un anniversaire!
Sally Rippin
10

Le petit mensonge
Sally Rippin
11

Le grand projet
Sally Rippin
12

L'argent de poche
Sally Rippin
13

Deux amies pour la vie
Sally Rippin
14

La petite nouvelle
Sally Rippin
15

C'est le temps des vacances
Sally Rippin
16